Pour Argento,
avec toute mon affection

© 2015, *l'école des loisirs*, Paris
pour l'édition en langue française.
© 1997, Paul Kor, pour le texte et les illustrations
Titre original : "Kaspion, Beware!",
Kinneret Zmora-Bitan Publishing, *Or Yehuda*, Israël, 1997.

Traduit de l'hébreu par Valérie Zenatti

Loi 49956 du 16 juillet 1949,
sur les publications destinées à la jeunesse.
Dépôt légal : mars 2015
ISBN 978-2-211-22142-9

Typo-graphisme : *Architexte*, Bruxelles
Imprimé et relié en Malaisie par *Tien Wah Press*

Paul Kor

ATTENTION
Argento

Pastel
l'école des loisirs

Argento vivait dans les profondeurs de la mer.
(C'est le petit poisson d'argent, tu t'en souviens ?)
Un jour, ce tout petit poisson avait aidé un bébé baleine
à retrouver ses parents et depuis,
ils étaient les meilleurs amis du monde !

Depuis ce jour, Argento était devenu un héros
pour tous les habitants de la mer.
Les petits, les grands, et même les hippocampes,
le saluaient et lui faisaient des compliments.

Salut mon pote !

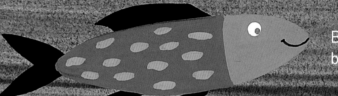

Bravi,
bravo !

Félicitations Argento !

Tu es un chef !

Coucou Argento !

Super !

Hé, Argento !

Par un beau jour tout mouillé
(exactement comme les poissons les aiment),
notre petit héros partit rendre visite à son meilleur ami.
Mais la mer est grande et Argento n'arrivait pas
à trouver Bébé Baleine.

À sa grande joie, il croisa le chemin d'une pieuvre :
Bonjour Argento ! Où nages-tu comme ça ?

Je cherche mon ami Bébé Baleine.
Tu ne l'aurais pas vu ?

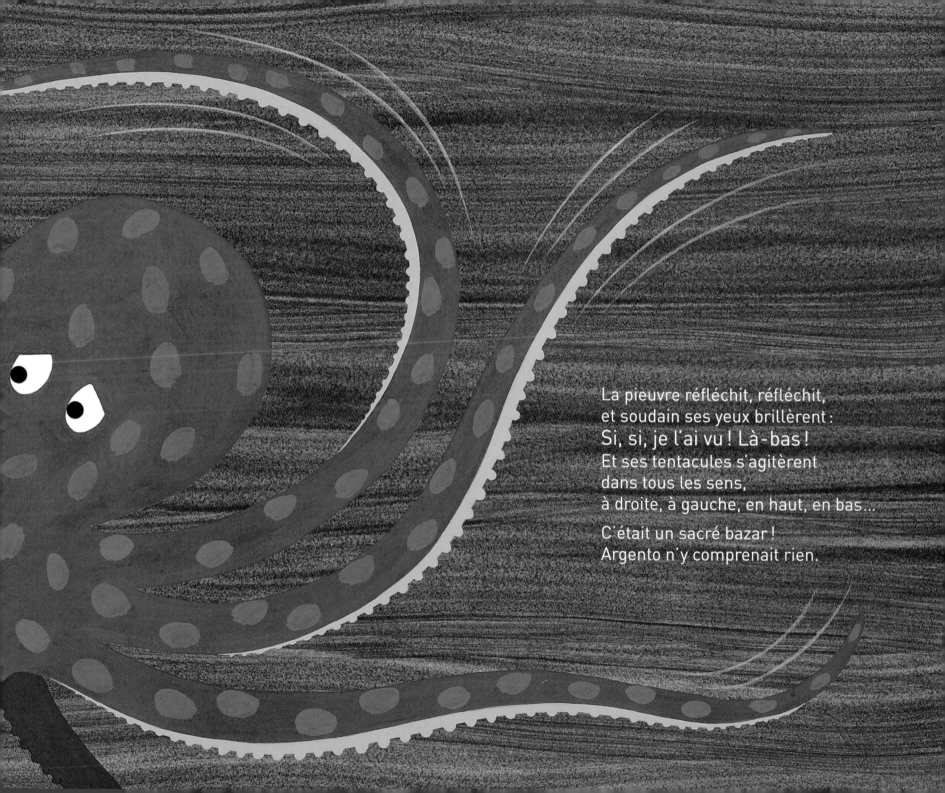

La pieuvre réfléchit, réfléchit,
et soudain ses yeux brillèrent :
Si, si, je l'ai vu ! Là-bas !
Et ses tentacules s'agitèrent
dans tous les sens,
à droite, à gauche, en haut, en bas...

C'était un sacré bazar !
Argento n'y comprenait rien.

Mais c'est où, là-bas ? demanda-t-il.
Tu pourrais peut-être utiliser une seule tentacule
pour me montrer ?

Tu as raison,
moi-même je m'emmêle un peu les tentacules.

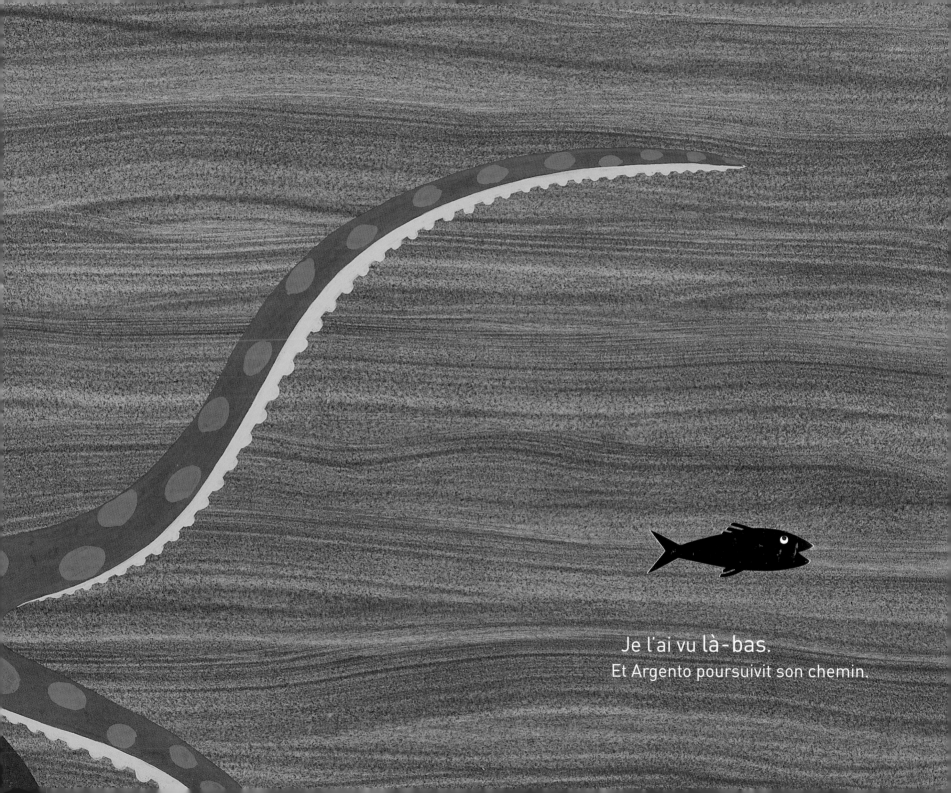

Je l'ai vu là-bas.
Et Argento poursuivit son chemin.

Soudain, au loin, il entendit : Blouf !
Super, je l'ai trouvé ! Voilà sa queue.

Argento appela son ami :
Coucou ! C'est moi, Argento !
Je suis venu te rendre visite.
Comment vas-tu ?

Mais Bébé Baleine ne répondait pas.

Pourquoi ne répond-il pas ?
s'étonna Argento.

Il s'avança et entendit encore : Blouf !
Et encore un énorme : Blouf !

En s'approchant, il vit des nageoires.
Mon copain n'a pas ce genre de nageoires, se dit-il.
Qu'est-ce que c'est que ce poisson ?
Sa curiosité était grande, et il décida de savoir qui était
cette créature étrange qu'il venait de rencontrer.

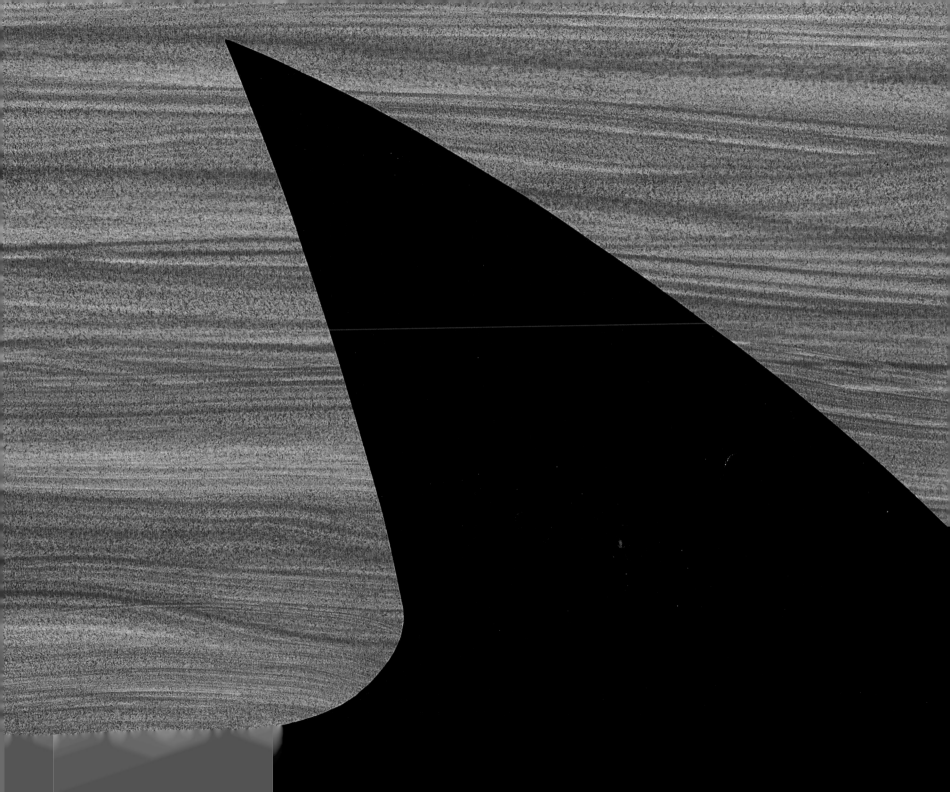

Il arriva ainsi au-dessus d'une grande tête...
Noire comme du charbon.

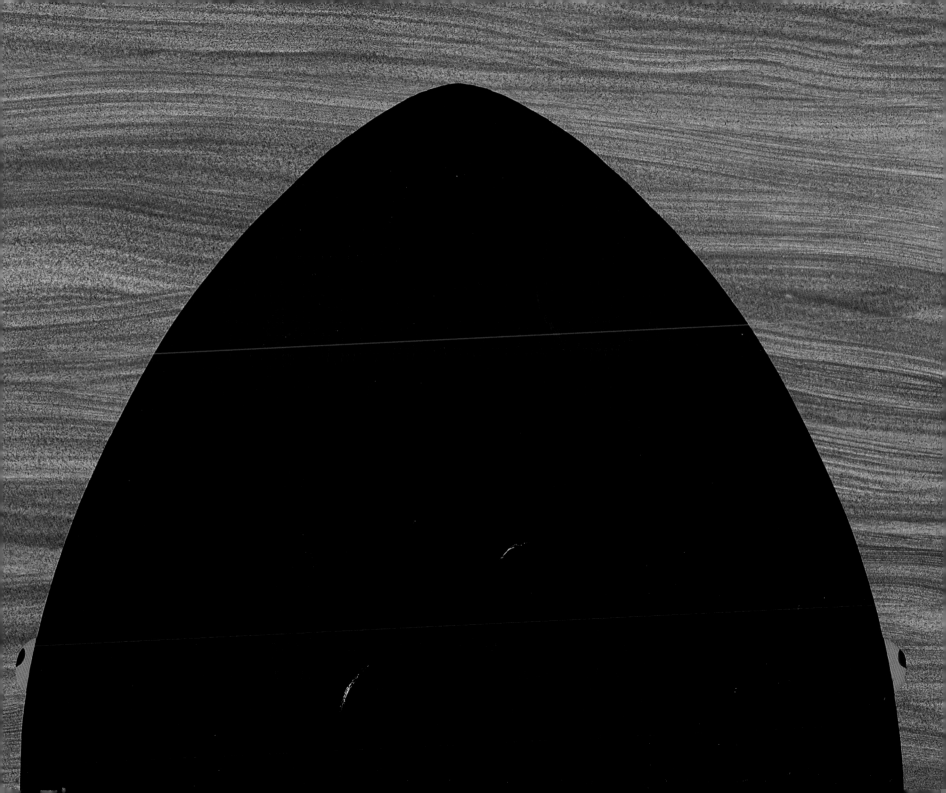

En dessous, la tête était blanche comme du lait,
avec une bouche ronde et fermée.

Il ne ressemble pas du tout à mon ami Bébé Baleine,
pensa le petit poisson d'argent.
C'est peut-être une baleine d'une autre famille ?
Il a peut-être besoin d'aide, lui aussi ?

Il s'approcha et dit :

Pardon de te déranger. Je m'appelle Argento,
le petit poisson d'argent. Et toi, qui es-tu ?
Une sorte de baleine ?

Quelle peur !
Argento comprit qu'il avait de gros ennuis
et commença à s'enfuir.

mais le requin cruel le poursuivit :
Tu ne vas pas t'échapper comme ça !
Je vais te **manger** !!!

Argento nageait de toutes ses forces.
Mais les dents pointues du requin
se rapprochaient… se rapprochaient…
prêtes à lui mordre le bout de la queue
puis l'avaler tout entier !

Argento pensa : Je suis perdu !
et se mit à crier : Au secours !!!

Quand soudain…

Vlan ! Et pan sur la tête du requin !

Une queue gigantesque l'assomma.
C'était la queue de Bébé Baleine
qui avait entendu les cris de son ami
et s'était dépêché de venir à son secours.

Le coup était si fort
que le requin en perdit l'appétit
(et quelques dents au passage aussi).

Bébé Baleine pesa de tout son poids sur le requin qui supplia :
Arrête ! Laisse-moi !
Tu es lourd ! Tu vas me casser la queue !
J'ai mal à la tête ! Mal au dos ! J'ai faim !
Je jure que je ne chasserai plus Argento !
Laisse-moi partir !

Bébé Baleine
laissa le requin tranquille
mais le mit en garde :
Et ne reviens plus jamais
ici, tu m'entends ?
Jamais !

D'accord, d'accord,
je pars, grommela le requin.
Puis il ajouta :
Tu n'aurais pas un comprimé
pour le mal de tête ?

Va-t'en gros voyou !
Tu devrais être content
d'avoir encore ta tête !

Le requin partit comme une fusée
et ne revint jamais.
(Certains disent, dans l'océan,
qu'il fuit encore.)

Ici s'achève notre histoire.
Argento, très ému fit un gros câlin
à son meilleur copain.

Merci, Bébé Baleine !

De rien, répondit Bébé Baleine.
Amis un jour, amis toujours !